目次

第八屆角川財團學藝獎（二〇一〇年）授獎評語

「小熊英二屬於未經歷該場運動的世代，由該世代針對一九六八年前後蓬勃發展的學生運動進行根源性的總結，這是一個必然的結果，同時也是一項令人稱快的舉動。說其必然，是因為身為當事者的我們這個世代的人們，並未能具備如此宏觀的視野，也難以做出客觀的判斷。顯然，若非與該時代保持一定距離的研究者，並無法書寫這般的『現代史』。另一方面，說是令人稱快的舉動，係因小熊英二乃聰慧過人的寫手，正因如此，方能完美地描寫這段即便在歷史上也屬於異於尋常的時代。除了小熊英二，大概沒有任何人可以達成如此完整的描述。」——鹿島茂（明治大學國際日本學部教授）

「小熊英二的浩瀚研究。憑藉其學識能力，透過龐大的史料重現了當代史的光與影，且兼具諦觀全局之趣，乃為獲獎的合適之選。」——姜尚中（東京大學名譽教授）

「我們假裝已完全忘卻，但實際上卻無法忘懷。這本上下兩冊共超過二千頁的巨著，重新告訴我們那段不該遺忘的歷史。本書讀起來令人感到身歷其境，讀完後將感受到兩個特點。其一，其敘述方法十分成功；其二，除了敘述之外，本書也使用另一種書寫策略，即對讀者提出今後共同思考的部分。無論是活過該時代的人們，或者於該時代過後出生的人們，都必須重新思索這段背負著過往的歷

史真實，更何況這段歷史還具有當今日本社會值得借鏡的價值。」——福原義春（資生堂名譽會長）

「本書是對一九六〇年代席捲日本列島的『學生反叛』，做出的一份當代診斷書。它羅列了捲入運動的各色人等的證詞，就算當作一部紀錄片來看，也足稱異色之作。作者雖屬該時代之後的世代，但本書卻不僅止於後見之明式的形式性概括，而是作者對自身內在能量進行總動員，與探討標的進行直球對決。作者透過靈活的筆觸，從多元觀點進行思考，亦是本書的另一亮點，除了『令人欽佩』一詞之外別無形容。」——山折哲雄（宗教學者、思想史學者）

台灣中文版序

小熊英二

閱讀本書的人，是出於什麼興趣而閱讀呢？想藉由中文來理解日本的「一九六八」，其關注焦點究竟為何？讀者們關注的焦點又是否與撰寫本書的筆者一致呢？

為了思考這個問題，筆者首先將闡明撰寫本書的意圖。當然，本書的主題已經寫在內文之中，但為了避免誤解，先在此再度說明，對讀者也有助益。

本篇序文由三個部分組成。第一部分檢討「一九六八」這個概念；第二部分說明筆者撰寫本書的意圖；第三部分則是在此基礎上思索以中文出版本書的意義。

「一九六八」這個概念

一開始得先說明，對日本社會而言，「一九六八」這個概念其實是個外來概念。

根據我為撰寫本書而調查的時間範圍，一九六〇年代日本學生運動中，經常使用「七〇年安保」一詞，而不會用「一九六八」。許多學生運動者見到一九六〇年發生大規模抗議《美日安保條約》修訂的運動時，皆意識到因美日每十年討論一次是否延長此條約，因而有些人期待一九七〇年廢止條約運動將再度興起，故帶著一種期待的心情使用「七〇年安保」一詞。

確實，一九六八年日本大學與東京大學爆發學生針對大學當局的抗議運動，並發生街壘封鎖的狀況。然而一如本書所述，寄望一九六〇年反對安保條約修訂運動重新興起的新左翼團體，一開始並不關心大學內的抗議活動。即便一九六八年大學爆發抗議活動，對新左翼團體來說，這些活動不過是邁向一九七〇年的準備階段而已。

「一九六八」這一年分，不僅在日本不具太大意義，在美國也是。從一九六三年華盛頓大遊行的公民權運動高峰，到持續至一九七〇年代初的反越戰運動，許多研究都將之視為「長一九六〇年代」（The Long Sixties）。

使「一九六八」這個特定年分具有重大意義的，是西歐，其中特別是法國。一九六八年蘇聯入侵捷克，在巴黎則發生五月革命。因此，即便時至今日，歐洲的研究與討論仍傾向將「一九六八」這個特定年分視為歷史的轉捩點。而日本輸入此概念，開始更多使用「一九六八」來討論一九六〇年代學生運動，則是從一九九〇年代起的事情。

的確，一九六八年在某種意義上是劃時代的一年。前一年人類首次透過人造衛星在全世界同時現場直播電視節目，一九六八年首次公布了地球的照片。隨著彩色電視的普及，全世界的人們得以同時見到越戰、捷克事件（布拉格之春）、中國文化大革命與巴黎五月革命等色彩鮮明的影像。這種媒體狀況的變化，讓年輕世代對世界上發生的事情產生強烈的共同感受，並意識到自己也是這個世界一分子。

日本也是如此，學生運動者們意識到頭盔的顏色將被彩色電視播出，這點在本書中也當成重要背景來說明。然而，筆者撰寫本書的關注點，並不在敘述這種世界共通性或者運動的盛大壯麗。

筆者撰寫本書時的關注點

那麼，筆者撰寫本書時的關注點究竟為何？一言以蔽之，就是日本一九六〇年代高度經濟成長給人們造成何種意識上，特別是政治意識上的變化。為了分析這點，筆者選擇當時的學生運動當作素材。

日本的國內生產毛額（GDP）從一九五〇年代至一九七三年為止，年均增長達十%。有許多關於此經濟成長改變了日本人的生活和意識的著作，但筆者想理解的，主要還是在政治意識上的變化。

有人指出，一九六〇年代以後，先進國家在政治意識上發生了變化。在北美與西歐的研究中認為，一九六〇年代因實現了物質上的富裕，在意識上也轉向重視非物質價值的政治。這裡提到的非物質價值，像是性別與族群平等、對環境問題的關心、重視自我決定權與人權等等。這些研究認為與上述問題有關的政治，和過往追求向勞工階級重新分配財富的政治截然不同，這些關心的出現即體現此種意識上的變化。

然而，日本的狀況卻有所不同。一九七〇年代以後的日本，確實也興起了以非物質價值觀為基礎的公民運動，但研究指出，一九八〇年代起這種運動陷入低潮，或者說人們變得對各種政治事務都不感興趣。那麼，究竟為何日本在一九六〇年代以後會發生與北美及歐洲不同的轉變？這，即是筆者撰寫本書時的關注點。

此外，本書也是筆者之前撰寫關於日本戰爭體驗與戰後民主化研究的延伸。該書以《「民主」與

「愛國」》為題於二〇〇二年出版，在日本獲得了三座獎項[i]。

在戰爭中，日本人民強烈體認到非民主的國家體制所帶來的弊害。知識分子們知道日本對美國開戰的決定其實有欠思慮，但在言論鎮壓的恐懼面前，他們選擇了沉默。統制經濟造成物資流向軍需，且導致許多違法行徑，不僅軍需企業的幹部獲得不當利益，只追求形式上提高產量的結果也使劣質品大增，即便有人想要檢舉不法，也因忌憚言論鎮壓而作罷。當日本戰敗，人們普遍認為正是因為這種非民主體制，才導致日本開啟戰端、戰敗，更造成許多親友死亡。因此二戰後的日本人企圖將日本重建為一個民主國家，這也是一種愛國心，成為戰後日本民主化的原動力。中國大陸較台灣更先翻譯出版《「民主」與「愛國」》，或許是因中國大陸的知識分子更關注這樣的主題。

一九六〇年的反對《美日安保條約》修訂運動，即標誌著這種戰後日本愛國心與民主主義結合的高峰。修訂條約的主導者是岸信介，他也是日美開戰之際的大臣之一。岸信介對開啟戰端、造成許多日本人死亡負有責任，此時卻將警隊派往國會，協助過往的敵人美國，強行批准協助美國的條約。此舉激起許多人的憤怒，引發日本人喪失民主主義的危機感，也讓人擔憂將再度回到戰敗後的貧困時代。許多人即便不了解條約細節，仍基於這樣的危機感而參加了抗議運動。這是年輕的學生運動者們已逐漸無法理解的，根植於戰爭記憶的運動。

而在一九六〇年代後半的日本，這種戰爭記憶逐漸消逝，富裕不斷深化。正如本書所述，誰都未能預料到日本學生運動會在這樣的時代中再度興起。而為何會發生此種學生運動，無論是該時代的人們或者參與運動的學生們，皆無法充分理解。

筆者撰寫本書時的關注焦點，即是為了釐清此一謎團。本書得出的結論是：所謂經濟高度成長這種社會劇變本身，便是當時學生運動的背景。為了得出結論，筆者活用了大量當時學生運動的紀錄與資料，分析經濟高度成長對當時人們的意識，特別是政治意識，造成何種改變。當時的學生運動和年輕人文化是本書的素材，而撰寫本書的目的不在於記錄描述運動與年輕人本身。

本書基於這樣的關注焦點而寫成，引起部分當時日本學生運動者的反彈抗議。或許，這種敘述內容也無法滿足部分中文版讀者的期待，為了避免誤解，筆者認為還是有必要先闡明這一點。

中文版的意義

那麼，對閱讀中文版的讀者而言，本書具有何種意義？本書是針對經濟高度成長期下日本人的政治意識變化進行分析，其他國家的人們閱讀本書有何意義呢？

對於這點，我的想法如下。已經寫就的書籍，往往會背叛作者的意圖。讀者會超越作者的意圖從書本中汲取內容。而且，筆者本身亦然，在寫完本書後也從另一個角度重新閱讀了本書的內容。

筆者是在二〇〇九年出版本書。二〇一一年東日本發生大震災與海嘯，連帶發生核電廠事故。之後包含東京在內，日本各地發起大規模的反核電運動。當時筆者帶著五歲的女兒暫時前往京都避難，之後返回東京，對於出現意料之外的大型反核運動感到驚訝。二〇一二年六月至七月，日本國會周邊出現以十萬人為單位的群眾集會，筆者也前往參加運動並記錄、分析，也為此撰寫論文，收集運動者

i　譯註：分別為第五十七屆每日出版文化獎、第三屆大佛次郎論壇獎、第二屆日本社會學會獎勵獎。

們的發言，剪輯當時影像並製作了紀錄片。

為何筆者會做這些事情？當然，核電廠事故的衝擊與由此產生的危機感是主要原因。但不只如此，筆者藉由過往的著作熟知一九六〇年的反對《美日安保條約》修訂運動與一九六八年的學生運動，且對該時代未能留下充分的紀錄，以及知識分子未從事紀錄的工作感到不滿。正因如此，當二〇一一年日本爆發大型運動時，筆者才認為對其進行分析與紀錄乃是學者們的任務。

之後，從二〇一一年起在參加十二個年頭的運動過程中，筆者屢屢想起《1968》一書中使用的資料與自己寫下的敘述。當運動超乎預期的興盛之際，此前與運動無緣的人們也加入其中，此時將出現何種創造性的嘗試？在運動充滿動能時，超出事先計畫、預想的成果將以何種形式表現？反之，當運動陷入停滯，又能作出何種發言來維持參加者的參與欲？更重要的是，該讓運動以何種形式收場？更進一步思考，當運動走向分裂與衰退時，有什麼事情是絕對不能做的？以上種種，在筆者書寫《1968》時從大量資料中學習，自己做分析與敘述，並在二〇一〇年代透過自身參與再度進行了確認。

亦即，筆者於二〇〇九年出版本書，二〇一〇年代時又以與當初關注焦點不同的角度重溫了本書。對於二〇二〇年代閱讀本書中文版的讀者而言，也有可能獲得這樣的體驗。此即所謂超越筆者當初撰寫本書意圖的不同閱讀方式，也是書籍超越了作者本身。若非如此，那便沒有必要透過翻譯，來讓原語言（日文）圈外的讀者閱讀到這本書。

那麼，請容筆者在此為序文做個小結。筆者希望讀者們不要單純把「一九六八」視為西歐發明、充滿象徵意味的年分，而是去閱讀一個社會產生運動的詳細內容。筆者在本書中分析了日本經濟高度成長如何帶給人們政治意識上的變化，不過中文版的讀者無須執著這點。只要從書中記載的運動紀錄，或者年輕人們所處社會狀況的描述中，汲取自身需要的養分即可。

不過，如果期待從這本書的象徵年分中讀到美化年輕人文化或學生運動的內容，那就錯了。本書的內容，是透過「一九六八」這個空洞的符號進行一個統整，而非提供某種預期性的公式化故事。書中描述的，是活過那個時代，一個又一個無名之人的經歷。本書是那些人們的憤怒與悲傷、暴力與愚蠢、智慧與勇氣的紀錄。至於從中可能汲取出什麼，這個決定權就交給各位讀者了。

二〇二四年五月三十日　小熊英二

導讀《1968》

安井伸介（台灣大學政治系副教授）

如此厚重的書籍總會引人注目，但同時也令人卻步。很高興您願意拿起這本書翻閱導讀。本導讀將簡單介紹本書，並與讀者分享圍繞本書的爭議，以便讀者進一步瞭解本書。

對本書感興趣的理由因人而異，但應該主要有兩個因素：「日本」和「學運（或社會運動）」。相較於近年在台灣、香港等地方出現激烈的社會運動，日本顯得政治冷感，社會運動不多，學運更是寥寥無幾。如果有人積極提倡學運，甚至可能被貼上「怪咖」的標籤。然而，很多人可能聽說過，在這樣的日本曾經有過一場瘋狂的學運，最終還導致殺人暴力，這到底是怎麼回事？他們為了什麼參與運動？為什麼有些人後來變成恐怖分子？那場運動結束後，日本為何變成政治冷感？其實，日本人也想知道這些問題的答案。儘管已有大量回憶錄和討論，但仍然無法讓我們理解那場運動。面對這樣的狀況，本書試圖從客觀學術立場回答這些問題。

雖然本書內容龐大，但論點相當明確，在此介紹兩個核心論點：第一個論點是，「一九六八」的叛亂是年輕人尋找「自我」的結果。這或許是令人驚訝的見解，如此龐大且激烈的學運，並非為了達成政治目的，而是為了探索真正的自己？此解釋的含義是，那些參與學運的人，並不是為了「公」的目的而參與，而是為了滿足「私」的慾望。我們可以想像，為了「公」而投入社會運動時，如果被說成是為了尋找自我而參與，這實在令人難以接受。但是，作者引用大量第一手文獻證明此事（這就是本書成為巨作的原因），反駁此論點並不容易。或者說，因為這是心理上的問題，所以即使當事人不同意，第三者依然能夠做出這樣的解釋。

另外一個重要的論點是，作者提出的觀點：「一九七〇年典範轉移」。或許從國外看日本會覺得，日本社會對少數或弱勢族群的關懷不足，也沒有直視過去歷史。然而，與這些印象相反，一些日本右派人士認為，日本社會過度反省過去歷史，才失去了身為日本人的自尊心。暫且不論此觀點的是非，日本社會真的有重視過去歷史以及少數或弱勢族群嗎？本書提出的「一九七〇年典範轉移」，可以提供我們一些線索。「一九七〇年典範轉移」意味著一九七〇年是日本現代思想史的轉捩點，因為一九七〇年之後左派的主題從工人階級革命轉為對少數或弱勢族群以及過去歷史的關注。這並非誇大的說法，一九七〇年之後確實可見對於這些議題的強烈關懷。在歷史問題上，一九七〇年後最能呈現其罪惡意識的即是「東亞反日武裝戰線」。本書對此只有簡單的提及[1]，但也有介紹此一團體的相關中文文章，有興趣的讀者可參考。[2]

那麼，為了討論這些論點，為何需要如此大的篇幅？接下來介紹本書研究途徑的問題。

作者小熊英二在一九六二年出生，大學畢業後先在出版社工作，後來重新就讀研究所，於一九九五年出版修改碩士論文而成的《單一民族神話的起源：日本人自畫像的系譜》（單一民族神話の起源：〈日本人〉の自画像の系譜，有簡體中譯本）。[3]在該書的序章，作者討論到他的研究途徑，此研究途徑亦應用到本書上。作者在該書中提出歷史學與社會學的方法。作者認為，研究的對象缺乏歷史學的實證研究，故必須採用歷史學的方法彌補其空缺。同時，作者並非純粹的歷史學者，他的問題意識來自社會學，討論的方式亦具有社會學的視角。有鑒於此，作者試圖結合歷史學與社會學的研究途徑進行研究。透過此途徑，可以深入理解研究對象的同時，亦能提供更為宏觀的論點。

同樣，在作者看來，綜合驗證日本「一九六八」的著作並不存在，所以他要使用歷史途徑還原「一九六八」。因此，我們可以透過本書瞭解日本「一九六八」的面貌。而且，由於本書的大部分內容是第一手文獻的引用，所以透過本書，我們能夠接觸大量第一手文獻。或許有人質疑有沒有必要引用這麼多文獻，有人可能會譏諷說這本書由複製貼上而成。然而，我們不該忘記的是，對作者而言本書並非純粹的歷史研究著作，他的問題意識來自社會學，所以才會有「尋找自我」等觀點。但是，這些解釋容易遭受主觀詮釋的批判，正因為如此，作者大量引用第一手文獻加強此論點的客觀合理性。或許對作者來說，為了證明社會學的論點，歷史學的途徑是必要的方式。在這樣的意義上，作者也在本書中結合了歷史學與社會學。

然而，作者採用如此途徑進行分析的結果，在日本引起了許多爭議。其很大原因在於，「一九六八」的許多參與者還健在，他們能夠依據自己親身經歷的經驗提出批判。此批判主要來自兩個面向：第一個面向是，指出本書中出現的各種「事實誤解」。雖然作者參照無數的資料，但描述的各種細節難免出現一些錯誤。作者也知道本書可能會有一些事實誤解之處，所以在序章說：「若是筆者有明確的事實誤解並對此提出指摘，筆者必定會先檢討（因為指摘不必然保證絕對正確），之後率直地接受」[4]。不過，作者也不希望對本書的評論僅止於事實誤解的層次上，因此也說：「比起細節的（當事人如此認為之）事實誤解，而引發低層次的抗議與批判，筆者更期待能見到涵蓋本書整個主題的議論」[5]。如果本書是純粹的歷史學著作，或許作者的這些態度也會引起爭議。然而，對作者而言，本書的核心論點屬於社會學，將日本的「一九六八」認定為「尋找自我的運動」等觀點，才是作者希望討論的。為了強調此點，作者才講出有點藐視事實誤解的說詞。[6]

另外一個面向是，如前所述，實際上正是作者的此論點才引起了當事人的反感。在一般人的印象中，同情社會運動的作者居然做出這樣的分析，許多當事人在情感上無法接受。不過，我們可以進一步思考的是，作者指出「一九六八」的動力是年輕人的自我探索，這本身有沒有批判的意涵？如果「現代的不幸」是現代社會的特色，我們現代人有辦法迴避追尋自我的動機嗎？值得一提的是，出版《1968》的三年後作者出版《如何改變社會》（社会を変えるには，有繁體中譯本），書中說到：「我是這樣思考『示威遊行』的意義。首先參加者要感到快樂……這其實是一種社交的場合。每個人得到勇氣與力量後回家，是一件美好的事」。[7]若是如此，迷失自我的人在運動中感到充實感，也並不是壞事。只是，即便每個人可以有自己的個人動機，我們不該忘記運動本身是具有具體政治目的的「政治運動」，假如社會運動蛻變為「表達自我」的手段，這樣的運動必定失敗[8]。

作者在本書序章提供快速閱讀導覽，表示「想儘早理解本書旨趣者：序章→第一、二章→第五章→第九章→第十四章→結論」[9]。作者挑選「慶大鬥爭（第五章）」和「日大鬥爭（第九章）」，而並沒有挑選廣為人知的「東大鬥爭（第十、十一章）」或「聯合赤軍（第十六章）」，這就表示，作者希望讀者瞭解「一九六八」含有「政治運動」的可能性，不該只關注後續發展的極端現象。作者無疑是支持社會運動的，如果「尋找自我」的動機也可以推動「政治運動」，如何才能避免讓運動成為表達自我的手段，才是我們需要思考的問題。

我們不妨再舉一個具體的例子瞭解一下圍繞本書的爭議。本書的最後一章（第十七章）以「女性解放運動與『私我』」（リブと「私」）為標題，討論當時在日本出現的女性解放運動（ウーマン・

リブ，Women's Liberation Movement）（譯者羅晧名將日文中的「私」翻譯為「私我」，這是非常好的翻譯）。其中，後半段集中討論日本女性解放運動的核心人物「田中美津」，其論點也不外是將她的動機定為「尋找自我」，並將其視為一九七〇年典範轉移後所出現的、關心弱勢族群的典型例子，也強調田中重視「私我」的論述會連接到八〇年代在日本所出現的自我中心消費社會。由於出版社想要使用田中的照片而與田中聯繫過，所以本書出版前田中已經得知作者要出版有關「一九六八」的著作，並且對於田中持有批判性觀點。收到書籍後，田中相當驚訝，因為在她看來，裡面的事實誤解太多，因此她於二〇〇九年八月十八日在日本amazon的「客戶評論」中，以「田中美津」的名義發布評論說：「我就是在本書第十七章女性解放運動與『私我』中出現的田中美津本人」[10]，然後指出六十四頁當中有四十五處錯誤。[11]之後，她在二〇〇九年十二月二十五日出版的《週刊金曜日》七八一號中，以「田中美津，嘲笑《1968》」（田中美津、『1968』を嗤う）為題展開進一步的批判。[12]

田中所指出的事實誤解之處，或許是作者所說的「低層次的抗議與批判」。但在田中看來，既然當事人還健在，學者應該採訪當事人確認事實才對。歷史學通常無法採用採訪的手段，文獻就成為幾乎唯一的資料來源。然而，當代史就不同，確實有辦法採訪當事人。這是令人為難之處，如果本書要採取採訪的途徑，不知何時才能完成出版，研究者必須要有所抉擇。作者或許站在歷史學的立場，有意將分析對象限定為文獻。這是如何設定研究途徑的問題，既然作者決定採取這樣的途徑，學術上是可以接受的。只是，田中的案例確實警示我們，歷史資料本身會有錯誤的紀錄，即使完整蒐集並分析資料，也不代表能夠還原過去。

另外，田中也指出，作者的問題不只在於單純的事實誤解上，也可見引導讀者的意圖。作者在一開始介紹田中的地方，引用町野美和的回憶：「那時一位穿著白色迷你裙的嬌小女性，在樓梯教室後方不知道在大喊著什麼，還邊發放手裡的傳單」[13]。作者特別注意到「白色迷你裙」，因為在「一九六八」的鬥士中，這是少見的穿著，也可能認為這個穿著很好地象徵著當時女性解放運動的特色。不過，作者也發現沒有其他文獻可證明當時田中有穿白色迷你裙，甚至有人也說：「我並不記得有什麼〔穿著白色迷你裙發傳單的〕嬌小女性」。但是，作者說：「綜觀上述，雖然事實尚不明瞭，在這裡先採納町野的證詞」[14]。為何特別在註解說明「採納町野的證詞」？因為接下來作者要重複提及白色迷你裙：「如前文所述，她在一九七〇年八月的亞洲婦人會議上發放傳單時，據說穿著一件白色的迷你裙」[15]、「田中在一九七〇年以白色迷你裙和黑色高跟鞋之姿亮相，除了突破了從前的『抗議風格』，可以說也是受到消費文化的刺激而出現的『帥氣』穿著。」[16]、「田中身著白色迷你裙和黑色高跟鞋一個人發放傳單的行動，可以說是相當有特色的破天荒行徑」[17]、「當時二十七歲的『大齡單身女』田中，穿著不符年齡的白色迷你裙發放傳單的行為，是在運動及同居生活中挫敗的她，在『悲慘』與『虛無感』中『奮不顧身的一擊』」[18]。田中覺得，這種作法相當「油滑」（あざとい）。[19]此外，田中也指出，文中不斷出現「自由工作者」（フリーター，六次）、「大齡單身女」（オールドミス，七次）、「直覺」（直感，十四次）等詞彙來形容田中之處，似乎有意產生「潛意識效果」（サブリミナル効果）。[20]這可能無法說成「低層次的抗議與批判」。正因為作者的論點在於「尋找自我」，作者特別注意「一九六八」的參與者呈現自我的表現，在作者看來，「白色迷你裙」就有象徵意義。但或許在此部分作者的主觀意圖超越了客觀事實。

即便如此，田中沒有否定女性解放運動有尋找自我的一面，實際上田中也承認她的「私我」會連接到八〇年代消費社會的「可能性」。[21]也就是，田中的批判並沒有直接否定作者的論點。只是，由於作者認為田中否定「大義」而只主張「私我」，所以田中針對此點明確表達抗議，因為對田中而言，女性解放運動也含有「大義」。關於此部分，研究者可以離開當事人的主觀而進行客觀分析，哪一種理解才對，我們讀者也可以有自己的判斷。

以上向讀者介紹圍繞本書的爭議。這當然不是為了批判本書，也不是為了貶低本書的價值，即使有這些缺點，本書依然具備相當的價值。作者寫完這部巨作後病倒養病一年，可見作者是用生命撰寫本書的。[22]只是，我們要瞭解沒有完美的學術著作。如作者所期待，我們該做的是針對作者提出的「論點」展開討論。為此，本導讀試圖釐清圍繞本書的爭議，希望對讀者有所幫助。

《1968》：如何述說一無所有的語言？

張政傑（東吳大學日文系助理教授）

J'ai quelque chose à dire mais je ne sais pas quoi.
Professeurs, vous êtes aussi vieux que votre culture.
Votre modernisme n'est que la modernisation de la police.
La culture est en miettes (les enragés)

——sur le mur de Censier, Paris

我有話要說，卻不知從何說起。
各位教授，你們如同你們的文化一般陳舊老朽。你們的現代主義，不過是管控統治的現代化。文化已粉碎如塵。（激進派[1]）

——巴黎・桑西耶牆上文字

球根栽培の花が咲きました

孤立無援のお前のように
机のすみで咲きました
球根栽培の本を知ってますか
孤立無援のいのちがもえて
花火のように咲きます

——〈球根栽培の唄〉、森田童子

栽種球根的花開了
如同孤立無援的你
在書桌一隅綻放
知道栽種球根的書[2]嗎？
孤立無援的生命萌芽
如同煙火般綻放

——〈栽種球根之歌〉，森田童子

台灣由於戰後發生二二八事件，以及隨後漫長的白色恐怖時期，激烈的社會運動與學生運動傳統遭到國家暴力中斷，直至七〇年代初期才逐漸溫和復甦，經過八〇至九〇年代的民主化浪潮，從二〇〇八年的野草莓學運、二〇一四年三一八學運以及今年的青鳥行動，當代學運分子與先行世代的運動者之間，擁有相當密切的合作與傳承關係。透過思想論述與行動經驗的連結與承繼，台灣學生運動日漸成熟，成為維持並推動公民社會的一股重要能量。或許是台灣學運相當重視國際連結，雖然發展脈絡極為不同，近年來，台灣對於述說或描寫日本六〇年代後期至七〇年代初期的學運，亦即「全共鬥」的相關書籍、演講和創作極為關注。

一九四五年日本敗戰後，即使仍處於駐日盟軍總司令部（GHQ）佔領之下，學運已然復甦。誠如日本哲學家、文藝評論家柄谷行人所言，整個六〇年代的學運大致上可以分為兩個世代，柄谷自承屬於六〇年的安保世代，而非七〇年的安保世代。前者由全學聯（全日本學生自治會總聯合）帶領，尚留有日本共產黨組織分明的學運特性；而後者則是由較為尊重個人主體與立場的全共鬥所主導，帶有較為分散而自由的學運性格，在日本各大學遍地開花，同時呈現不同的運動目標、風格與發展。因此，六〇年代後期引發學生封鎖大學校園、上街遊行抗議的大型集會運動，對於身處不同地區、階級和教育程度的參與者而言，帶有相當錯綜複雜的多樣面貌，難以一概而論，在日本的教科書裡亦僅有簡短敘述。

相反地，由於當年的學運參與者尚在，學運告一段落後便開始零星出版相關著作，而在二〇〇〇年過後，所謂的「全共鬥世代」面臨退休之際，形成一股回顧過往的出版浪潮，回憶錄與相關書籍數量繁多，相較官方論述的匱乏空缺，差異甚大。社會大眾對於全共鬥與新左翼（相對於日共等舊左翼）的認知，大多來自大眾傳播媒體的代言與形塑，特別是學運末期的激進團體赤軍與東亞反日武裝戰線的相關報導，熱血的學運參與者轉身化為冷酷的極左暴力恐怖分子，可以說是學運形象之妖魔化。

另一方面，即使學運末期激進化與暴力化，不同黨派（セクト）間因路線之爭而屢屢爆發武裝內鬥（内ゲバ，「ゲバ」為ゲバルト之簡稱，德語Gewalt為暴力之意），甚至在一九七二年的山岳基地事件與淺間山莊事件裡，聯合赤軍內部自相殘殺，造成十多名成員遭凌遲死亡，重挫日本社會的支持，也宣告學運之終結，但在當年的學運參與者之間，過往種種充滿激昂熱血與革命青春，仍洋溢著神聖光輝。而日本學界或許受到同時期美國人權運動與中國「文化大革命」的影響，將日本「一九六八」視為戰後的「政治與文化」革命，亦即學運之神話化。

對此，作者小熊英二的研究目的之一，便是破除此「神魔二元論」，希望經由大量的史料搜集、爬梳整理與資料分析，廣泛且深入地理解那個時代的思想與言說為何，以及其形成過程與轉折為何。若將此書置於作者過往的論著如《「日本人」的界限》與《「民主」與「愛國」》等書來看，可以發現研究目的與方法的相近之處，亦即藉此破除既有的成見與觀念，力圖以歷史社會學的概念與分類手法，描繪出一個日本「一九六八」的大致面貌，因此也可視為某種關於「一九六八」的歷史論述。

此書的核心概念在於年輕的學生面對所謂的「現代的不幸」無所適從，不知如何表達內心的失落不滿與進退失據，僅能依靠馬克思主義式的種種理論和用語，因此傳達自我感受的方式，常常很容易與當時的政治狀況相互連結，發展成大規模的學生反叛行動。在此書定義裡，「現代的不幸」意指「對認同的焦慮、對未來感到閉塞感、對生活缺乏切實感，以及現實感稀薄等狀態」，而相對的概念則是「近代的不幸」，亦即「戰爭、貧困、飢餓等情狀」。本書序章開頭引用女學生的話語，便傳達出當時學生面對「現代的不幸」時的虛無與困惑。

「好感動呀！太了不起了。可是我內心一片空虛，什麼都沒有。這樣我就不能參與鬥爭了嗎？」

若依循此書兩種相對性的不幸概念，全共鬥世代缺乏戰爭、貧困與飢餓的實際體驗，面對的卻是六〇年代日本經濟起飛、《美日安保條約》為基礎的戰後政治體制以及日本以經濟向亞洲的擴張政策，認為應該批判的正是身在體制裡的自己，亦即「自我否定」，而大學則是將學生訓練為體制賣命的共犯機構，因此主張「大學解體」。具體而言，此即為此書所言之「一九七〇年的典範轉移」：從肯定「戰後民主主義」轉為批判立場；從肯定「現代理性主義」轉為批判立場；從「被害者意識」轉為「加害者意識」。以上為此書主要的理論架構與概念。

大致而言，此書依循時間序論述，首先說明時代背景、社會結構與當時學生的社會階層、心理狀態與個人特質。接著描寫一九六五年的慶大鬥爭與中大鬥爭，其次是一九六七年的羽田鬥爭，京大生山崎博昭在與武裝鎮暴警察的激烈對抗中，頭部等處遭壓迫而傷重不治，激起學生更加強烈的反應，催生出大規模的街頭行動。許多學生也為了保護頭部開始戴上全共鬥運動常見的頭盔，更以顏色和文字展示黨派差異。

全共鬥運動裡最知名的兩大鬥爭則是日大鬥爭與東大鬥爭，此書分別依序撰寫。由於前東大全共鬥議長山本義隆編纂的《東大鬥爭資料集》資料豐富（共二十三卷），以及其代表性，分為兩章詳細描寫。其後為高中鬥爭以及一九六八至六九年各地的全共鬥運動與街頭行動。最後是「一九七〇年的典範轉移」、聯合赤軍直至女性解放運動（ウーマン・リブ，Women's Liberation Movement）變遷與演進。結論提到，全共鬥運動留下的最大遺產便是經過「兩階段轉向」後，對於大眾消費社會的適應與融入。亦即，青年學子先是受到革命感召，轉而化身為在街頭對抗國家暴力而奮戰不懈的學運戰士，卻因為學運末期武裝內鬥而失志灰心，再度轉念化身為在企業不停奮鬥的企業戰士，以及透過大量的消費行為實現理想，或是滿足欲望。

此書處理的資料豐富，範圍亦遍及日本各地，成為一本超過千頁的厚重論著，分為上下兩冊出版。甚至序章裡還有作者提供的閱讀指南，讓不同知識與趣的讀者依循指示跳躍閱讀，可以說是一個試圖總結日本「一九六八」的巨大嘗試，同時也是歷史化的里程碑，但並非意味著此即為唯一版本的歷史。此書出版後反而激起學界許多討論，特別是當年的學運以及女性解放運動的參與者亦踴躍發言，批評此書對於資料的詮釋與自己的理解不同，或是指出不符事實的細節，例如日本女性解放運動先驅田中美津的文章〈田中美津，嘲笑《1968》〉（田中美津、『1968』を嗤う）便是一例。

此書核心概念為「現代的不幸」與「一九七〇年的典範轉移」亦有可再商榷之處，以下略述一二。首先，面對「現代的不幸」的國家並非只有日本，其他國家的青年與學生是否也出現類似的反應？其次，即使在當時的日本，不僅只有學生面對「現代的不幸」，其他年齡、地區和階層的人亦無法倖免，是否也能以此概念詮釋說明？此外，無論是當時牆上常有的「造反有理」口號，或是反對美軍介入越戰的和平示威遊行，皆可見到「一九六八」的世界性與共時性，前述的兩個日本限定的概念是否足以涵蓋這些現象？若參照目前西方學界對於此領域的研究，以「The Global Sixties」為視野的跨領域研究不少，或許當時因電視等媒體興起，促進世界各地的資訊流通更加迅速，因此形成全球性的學運反叛浪潮。讀者在閱讀此書之際，若能注意到以上這些問題，或許可以拓展出更多理解日本「一九六八」的不同途徑。

最後是關於語言的追尋與創造。作者小熊英二在此書裡多次提到，由於資料龐雜，對於同一事件的敘述時常呈現參差不齊、甚至自相矛盾的狀況，因此必須經過篩選與刪減，方能用於建構論述，而依循的標準在於是否清楚呈現當時青年學子的心理狀態與感受想法。但有趣的是，作者本人也提到當時面對「現代的不幸」的年輕學生無法找到適合的語言述說心聲，僅能依靠既有的馬克思主義式的概念與口號表達不完整的內心思緒。讓人不禁想到，那些難以述說、未能成形而模糊不清、甚至自相矛盾的諸多話語，以及因為使用生硬的左翼用語表達的那些述說，是否因此無影無蹤，成為一種不在場的沉默？

身為全共鬥世代一員的日本知名小說家高橋源一郎，曾在此書出版後與作者小熊英二對談「一九六八」。高橋在對談裡提到，日本戰敗後，曾遭到國家強力壓抑的政治性語言獲得解放，快速復甦，而文學、文化與思想性的非政治性語言亦同時高速發展，依此發展，六〇年代的語言狀況並非壁壘分明，而是呈現互為表裡、交織錯綜的豐富樣貌。因此，使用馬克思主義式的左翼用語等政治性語言，並非單純限於非政治性語言的資源不足，而是當時的語言狀況，便是相互交雜，時而互斥，時而共存，或許在相互競爭與接合之下，足以作為探索思想、精神與文化可能性的介質與載體？這並非貶低或批判此書之貢獻，相反地，或許此書以及相關討論與批評，正好為我們開啟了一個契機，可以擺脫既有印象與神秘色彩，從更加深入且多元的視角，重新認識日本的「一九六八」。

在日文原版問世十多年後，在出版社與譯者的努力合作之下，台灣中文版終於付梓。台灣讀者除了可以藉此一探日本全共鬥的豐富樣貌，更重要的是，台灣社會歷經美麗島、野百合、野草莓、三一八與青鳥行動，或者將視角擴至亞洲，例如日本SEALDs與香港雨傘革命，是否可以從日本戰後學運的興起、巔峰與衰落獲得何種啟迪、理解與反省？從日本映照己身，深刻思想，累積經驗，豐富知識，方能找出更多理解台灣、述說台灣、壯大台灣的語言與行動。

進入「1968」的絕佳路徑

羅皓名（中研院史語所博士後研究員、本書譯者）

小熊英二的這本巨作，是探究日本全共鬥運動與「一九六八」的代表性著作之一。據作者所言，這是一本試圖以「社會科學式的檢證」掌握「那個時代」的全貌，以期從其反叛與失敗中習得教訓，並引發後續討論之「開端」的書籍。雖然距離原文出版的二〇〇九年已過了十五年之久，該書出版之後，在日本也持續有進一步深化相關主題的出版物問世，但在對於戰後日本社會的研究仍有待發展的華文圈中，本書的中譯仍是首部鉅細靡遺地剖析日本全共鬥運動與「一九六八」的專書。

作者在本書中提出的觀點，以及本書在日本戰後史研究中的定位固然重要，但如其篇幅所示，本書更是一部龐大的「資料集」（全書註釋超過五千七百個），是不識日文的讀者也得以藉此接觸到大量原文資料的絕佳讀本。因此，私以為作者在本書中更像是一名整理者，其觀點在此更像是一條導覽路線，讀者如何從自身經驗和問題意識出發，跟著但未必順著作者的導覽，進入「那個時代」，與巨量的歷史文獻資料產生關係，與其中人們的心境、動機、矛盾與困境相互投射、形成對話、共感甚至批判，我認為更是閱讀本書的重要途徑，這也是我在翻譯本書時不斷想像的模樣。

社會科學式的檢證觀測

在本書出版之前，自然不是沒有關於全共鬥運動與日本「一九六八」的書寫。除了眾多運動當事人的回憶錄與過去的訪談資料之外，也有如評論家絓秀實在二〇〇三年出版《革命性的、過於革命性的——「一九六八年的革命」史論》（『革命的な、あまりに革命的な——「一九六八年の革命」史論』）（作品社，二〇〇三），以及在二〇〇五年編著的《一九六八》（作品社，二〇〇五）等從思想層面切入討論的著作。而關於「一九六八」，從文化層面展開的討論也算是常見的主流。

然而，本書作者刻意採取與上述類型不同的書寫方式，試圖從俯視的觀測角度掌握「那個時代」的全面性圖像。首先，作者拒絕以當事者的回憶作為主要論述的憑據。具體上，作者在認為「回憶錄這類文本混雜著錯誤記憶、誤解事實、自我辯護的成分，故亦有欠缺可信度的部分」[1]的前提下，以同時比對或併陳多部回憶錄綜合檢視其正確性的方式，在與回憶錄保持一定距離的位置上，從中找出得以接近「事實」的路徑。不同於一般關於當代史的研究，雖然大多數的當事者仍然健在，但作者在整部巨作中並未進行任何對當事者的第一手訪談。對此，作者做出了明確的解釋：第一，作者認為「記憶是動態的」，「人類的記憶是會變形的」[2]；第二，要對上百人進行訪談並整理這些資料，作者認為就本書的條件在務實面上並不可行，「會陷入無法收束的狀態」[3]。因此，作者選擇採用自己一貫而來的文獻調查法。作者認為，文獻資料「在某些時候仍能起到拆穿現代人為迎合自身而擅自捏造的記憶，或具備打破一般觀念的功能」，「文獻資料在當時猶如把思維與心態『冷凍保存』下來，因此可剝除現今創造出來的『記憶掩蓋』或既定觀念，面對隱藏的傷口，也暗含將其撬開的力量。」[4]

接著，如在第一章的主張，作者認為「一九六八」作為「政治與文化革命」的說法本身即是一個「神話」。由於「『一九六八年的文化革命』日後遭神話的部分太多」、「所謂六〇年代前衛文化的創造者，並非年輕人」、「六〇年代青年們反叛而成為運動者的人們，不必然與使文化變貌的人們重疊」[5]這三個原因，作者於書中只在必要的最低限度上觸碰文化的層面。另外，由於本書將主軸放在以社會科學式方法對於「那個時代」的歷史現實展開檢證，因此並未對於思想甚至思想史的討論多作著墨。關於小熊對於戰後日本思想的論述，更多可見於其前著《「民主」與「愛國」》中。雖然該書聚焦的年代更早一些，但或可說《1968》是在《「民主」與「愛國」》（尤其是第三部）的思想討論上延伸出來的具體實證作業，特別是在後者第十四章「『公』的解體」中對於吉本隆明思想與大眾消費社會親近性的批判，以及第十六章「死者的越境」中關於鶴見俊輔與小田實思想的共感。

總括而言，本書是站在觀測者立場上，不依憑當事者的動態記憶，而是「冷凍保存」的靜態文獻資料，對於「一九六八」運動歷史現實經緯的社會科學式檢證，內容並不涉及「那個時代」的文化與藝術表現，以及思想內容與思想史脈絡的討論。這個選擇的動機，在於作者拒絕將「『那個時代』的反叛當成懷舊的英雄事蹟描繪」[6]。

「一九六八神話」的解構與思想史意義

當事者們眾說紛紜的回憶當年勇，或者事後非當事的人們崇拜式的「英雄事蹟」回溯方法，往往使歷史現實限縮成一種特定的、無法被複製、再體驗＝難以進入的限定經驗。這似乎使得歷史現實成為具有特權的封閉「神話」，無助於拆解歷史現實、無助於使之還原回到作為人的軌跡。小熊的這本書，嘗試藉由避開這樣的封閉性解釋，讓「那個時代」成為得以被放回歷史軸線與社會條件的背景中理解的事件群。

這種論述方法，首先如同作者所期待的，對於未能參與其中的後續世代或不同地域的人們，提供了得以進入的途徑，並將歷史現實作為用以處理當前面對之問題的反思資源。同時，對於作為個體參與其中的個別當事者，也提供了一種個人在限定的時空條件中難以周全的俯視性觀點。然而，卻也似乎難以避免地招致不少當事者批判指出，自己參與的部分並未充分的描寫、甚至跟實際情況（或當事者個人記憶中的實際情況）有所出入。

對此，作者試著不以自己單獨的主觀論述做出對於「那個時代」的主張與推論，而是藉由讓巨量的資料本身說話，鋪墊出得以拆解「那個時代」的諸多「神話」的厚實證據。之所以選擇如此厚重的論述方法，或許是因為「那個時代」在事後形塑出了同等甚至更為厚實的諸多「神話」、「英雄事蹟」或當事者的「自我陶醉」。本書的論點其實相當簡明扼要——在因為急速的高度經濟成長帶來的社會劇變中，人們所面對的困境從「戰爭、飢餓、貧困等發展中國家型的『近代的不幸』」，過渡到「自我認同的不安、現實感的稀薄化、活著的實感的喪失這種先進國家型的『現代的不幸』」[7]。那個時代「英雄」們的行動＝「神話」，不是「世界革命」或「文化革命」，而不過只是當時無法適應時代變化的年輕人們，在這個「集體摩擦」的過程中，為了解決自我認同危機而「直覺」地做出的「未能言語化」的「尋找自我」的行為而已。但是，為了提出這個簡明的論點，還是必須整理出如此巨量的資料，作為得以駁斥這些「神話」的論述基礎。然而，換個角度說，關於「那個時代」的「神話」、「英雄事蹟」乃至當事者的「自我陶醉」之龐大，以及小熊為了支撐自身論點——以推翻、說服當事者或事後人們產生的「神話」——所選擇的堆疊巨量資料的書寫方法，或許也反過來證明了「那個時代」對於曾全心投身其中的當事者而言，有著多麼深刻與複雜的厚重，如此糾結的厚重在表面上浮現成巨量噪雜的「神話」，但卻也同時在水面下凝結成無法抽離地面對、無法言說的沉默。這或許是「那個時代」的運動參與者無法如以「社會科學式檢證」立場進行觀測的小熊一樣，寫作出這種以俯視觀點，相對抽離地收束歷史現實的著作的原因。

或許就這一點來說，當事者的失語狀態（這也包含喋喋不休地訴說著自己的故事與細節，卻在整體層次的反思上頓時沉默無語的狀態）與小熊本書刻意拒斥「英雄事蹟」的俯視觀測立場——這兩者的總和，才得以完整構成「那個時代」在思想史上的意義。

因此，本書與其說是對於「一九六八」的完整論述，似乎更近於一部過於完整的不完整視角——如鷹眼般俯視觀測的靜態垂直視角。與之成對，得以相互補完的是，當事者如野兔般啟動自關乎生存的切身動機，在有限的水平視力範圍中尋找任何可能的逃逸路徑的動態視角。單單以後者為憑依之論述的封閉性不再重述。而孤立地依憑前者，拒斥任何第一手訪談與當事者的動態記憶，試圖單單藉由靜態文獻資料的並陳來探尋當時反叛年輕人們的「集體心態」的論述，其問題或許如身為當事者的評論家長崎浩所言，在其將各個當事者本應具有歷史縱深的回憶，以橫向切片的樣態搜集並列的方法中，存有某種暴力性。長崎進一步反問道：「然而，所謂的歷史是過去人們的平均值嗎？」[8]長崎的批判，呈現出本書作者與「那個時代」當事者之間，因為視角與觀測位置不同所形成的緊張關係。就此，或許可以說，唯有將本書放在與諸多當事者和其他論者對其的回應與批判[9]所共同形成的文脈中，本書才得以具有作為關鍵性「開端」的意義。

文化與思想的必要

若從文脈的對話可能性來說，本書作者使用資料並陳方式，試圖推導出一個全面性的通盤性解釋。這在提供大結構標題以及解構神話性、傳說性上確實有效，然而，卻也抹平了被內包於其中的諸多異質犄角，乃至由各個犄角發展延伸出來的超時代可能性。換言之，也就是「思想」與「文化」的超時代性＝越境可能性。

作者雖然在一開始就說明了不討論文化面的理由，也在將「那個時代」的行動視為「試圖表現、突破無法言喻的不安與閉塞感的行為」[10]並非政治革命、將這些缺乏出色表達能力的年輕人們的論述內容視為不過只是因為找不到話語，所以只好似懂非懂地挪用了馬克思主義用語的產物，或者是出自主體的不安而寫成的「如詩般斷簡殘篇」[11]時，間接否定了其中存有系統性「思想」的可能性。然而，這些作者所謂的「試圖表現、突破無法言喻的不安與閉塞感的行為」與「如詩般斷簡殘篇」，反而或可說正是以某種廣義的文化形式（而非狹義的，如作者上述所言之用以創造出作品的「文化」）來表現其內蘊之不定形思想的行動，並且，就其試圖積極介入現實這點來說，此種表現不定形思想的文化行動可以說就是政治性的。或許正是因為對於文化與政治的狹義定義，致使作者捨去了對於該時代文化與思想的討論，使得本書的主張變成了一種「偏差很大的平均值」[12]。

本書選擇的「社會科學式檢證」的方法，儘管得以提供非同一時空的人們進入的路徑，但也在捨去了文化與思想的有效性這一點上，失去了從「那個時代」進一步延伸想像與論述的可能。換言之，或許正是因為「那個時代」的反叛，是各個當事者在面對「自我認同的不安、現實感的稀薄化、活著的實感的喪失這種先進國家型的『現代的不幸』」時，試圖從主體啟動的表現與摸索——而非狹義的政治行動，所以在對於運動的歷史事件經緯的檢證之外，「那個時代」行動動機的思想意義、在文化與藝術表現的美學與創作邏輯中，被運動引動的、與運動共振的內容，才是確實背負著時代作用力而擠壓出來的地層。

固然，思想性的討論，時常無助於梳理原本就複雜多層的歷史現實，反而讓歷史現實再次被束縛進入複雜的思想言語論述裡。然而，關於思想的討論還是具有讓論點更為深化與越境的可能。在此，如果從思想史的角度檢視「一九六八」，本書選擇的分析範圍——從一九六五年慶大反對調漲學費鬥爭開始，到一九七二年聯合赤軍事件為結束——對於非同一時空的，特別是本書的讀者來說，還是有必要附言補充[13]。如前述，本書是在《「民主」與「愛國」》的思想討論上，延伸出來的具體實證作業。因此，雖然對作者或知曉日本戰後社會與思想情況的讀者來說，一九六五年之前的脈絡已有大致的架構，但對於並非如此的讀者來說，若要完整理解「那個時代」的思想史意義，似乎還是需要（至少從戰後日本思想脈絡的認識開始，例如從戰後初期「進步知識人」的代表性學者，後來被視為「戰後民主主義」的象徵性存在的丸山真男[14]、安保時期以降成為所謂新左翼思想主幹的谷川雁[15]、黑田喜夫、埴谷雄高、吉本隆明等人，以及更為年輕一代的鶴見俊輔、小田實等的思想內容一步步理解下來，並在這樣的思想脈絡中——而不只是在當時的社會背景下——重新定位「一九六八」期間的年輕人們為何如此思考，且又是在何種思想延續線上試著生長出接續的思想。

這些日本的戰後思想是相互扣連的。具體來說，以筆者博論研究的谷川雁為例，「一九七〇年典範轉移」之後對於少數群體的重視，其實可以往前連結到谷川雁提出於一九五〇年代，注視邊緣少數群體——以谷川的話來說，朝向「異端之民」所在之暗黑「原點」——的思想；而本書中提及的，「一九七〇年典範轉移」前後的重要思想著作——津村喬《我們內在的歧視》（『われらの内なる差別』，三一新書，一九七〇），則可在關於歧視的思想上，跟谷川雁於一九六三年提出的〈無（plasma）的造型——我的歧視「原論」〉（「無（プラズマ）の造型——私の差別「言論」」，初出：《思想の科学》一九六三年十月號）產生對話。以上是從本書分析範圍向前延伸討論的例子。

而向後延伸的例子，則如本書並未展開的「東亞反日武裝戰線」[16]。其中最早出現的「狼」部隊，在一九七四年的刊物《腹腹時計》序言中指稱[17]：

1日帝以長達三十六年的侵略和殖民支配朝鮮為代表，也侵略且支配了台灣、中國大陸、東南亞等地，並將阿伊奴・茅斯利、沖繩作為「國內」殖民地同化與吸收。我們是這些日本帝國主義者的子孫，是容許及默認了敗戰後開始的日帝新殖民地主義的侵略與支配，並使舊日本帝國主義者的官僚與資本家們再次甦生的帝國主義本國人。……

2日帝將其「繁榮與成長」的主要來源，建立在殖民地人民的鮮血與累累屍骸之上，並且迫使他們遭受更多的掠奪與犧牲。正因如此，帝國主義本國人的我們，才得以安穩地過著「和平、安全且富饒的小市民生活」。日帝本國勞動者的「鬥爭」，例如要求提高薪資、改善待遇等，實際上是要求對殖民地人民做更多的剝削和犧牲，是強化和補足日帝的反革命勞工運動。〔……〕

日帝本國的勞動者、市民，是與殖民地人民日常性地持續敵對的帝國主義者和侵略者。

〔……〕

4 唯一從根本上與日帝本國鬥爭著的，是流民＝日雇勞動者。他們完全被強制當成拋棄式的消耗品。他們被強制作為廉價的、可以被拋棄式使用的、隨時都可以被犧牲的勞動者，在生活的各個方面都被迫遭受徹底的剝削。正因如此，看穿了這一點的「流民＝日雇勞動者」的鬥爭，如同在釜崎、山谷、壽町所見，是日常不間斷的、毫不妥協的鬥爭，是朝向小市民勞動者的正面對決。

〔……〕

6 我們被賦予的任務是發起打倒日帝的鬥爭。不是進行法律上或公民社會中所允許的「鬥爭」，而是外溢出法律和公民社會的鬥爭＝非法鬥爭，並將其實體化為武裝鬥爭。我們不應為自己留下逃脫出口＝安全閥，而是要「拚上性命來償清自己的反革命責任」。攻擊性地開展反日帝的武裝鬥爭，正是日帝本國人民唯一的緊急任務。

〔……〕

我們是，為了呼應阿伊奴人民、沖繩人民、朝鮮人民、台灣人民的反日帝鬥爭，並與他們的鬥爭合流而堅持著反日帝武裝鬥爭的「狼」。[18]

如上所示，他們以自己同時作為「加害者與被害者」的雙重性與殖民歷史反省出發，將對於作為一般日本人市民的自我否定推導至極限，選擇放棄組織一般市民大眾與勞動者，甚至將這些在過往社會運動中被認為是應該串連及對話的對象視為加害體制的共犯，進而將位於最底層的、「在生活的各個方面都被迫遭受徹底剝削」的流民＝日雇勞動者作為革命主體[19]。在將市民日常生活視為「帝國主義的侵略」與「剝削」的不間斷常態，且推崇日雇勞動者相應於此的「日常不間斷的、毫不妥協的鬥爭」的同時，也主張以毫無保留的姿態，進行得以打破日常慣態的，「外溢出法律和公民社會」的非法武裝鬥爭，並「拚上性命來償清自己（作為日帝本國小市民）的反革命責任」。他們綜合了自我否定、殖民歷史反省、重視被壓迫少數群體、不限縮於本國的國際主義視角、創造打破日常慣態的非日常路徑、拒絕任何妥協的嚴格主義、非法武裝鬥爭路線等等的主張與行動方法，或許可說是「一九六八」後期內涵的動機與方法相互結合後形成的，最具代表性的產物之一。[20]

作者選擇以一九七二年的聯合赤軍事件作為切點，固然有理論與實務上的考量。但若得以將其實深受作者所言的「一九七〇年典範轉移」啟發，從一九七一年開始陸續展開行動，並在一九七四、一九七五年間正式因連續炸彈攻擊日帝殖民相關企業而浮出水面，還曾一度計畫暗殺天皇的「東亞反日武裝戰線」也納入討論，或許可以讓整體的論述在思想史上更為完整，甚至對於「那個時代」後續引發的行動得出不同的結論也說不定。

以上都是從「那個時代」向前或向後可能延伸出來的思想觸角。關於「一九六八」思想性的探討，還可參考前述絓秀實的《革命性的、過於革命性的——「一九六八年的革命」史論》與《一九六八》。而若要快速了解六〇到七〇年代的「革命」與「暴力行動」，並且初探這樣的行動如何成為文學藝術的創作動機的話，則有栗原康編修的小書《日本的恐怖行動：炸彈的時代60s-70s》（『日本のテロ：爆弾の時代60s-70s』，河出書房新社，二〇一七）[21]。

關於文化也是如此，如果可以將視野放在整個六〇年代，或許可以看到「『一九六八』作為前衛文化革命」這種說法的錯誤並不在於那不過只是「神話」，其實文化革命實際上並沒有發生，而是在於那股革命性的潮流並不能只限定在「一九六八」，也不只限定發生在本書所討論的「全共鬥學生」裡頭。文化與藝術相關延伸研究的參考，其中之一是在本書隔年出版的黑達賴兒（黒ダライ児）《肉體的安那其：一九六〇年代日本美術中行為藝術的地下水脈》（『肉体のアナーキズム：一九六〇年代・日本美術におけるパフォーマンスの地下水脈』，grambooks，二〇一〇）。[22]

作為引子的幾個提問

以下，我想提出幾個自己閱讀本書時浮現出的問題，或許有助於展開關於本書的後續討論。

首先，如本書採取的方法，在描寫運動以「尋找自我」、「主體解放」為代表的主體層面，而非其具體訴求、現實上要求實現的改變的政治層面時，觀測者所能指出的自然更多會是運動者的不安與盲點，而非後者的社會分析、訴求與策略選擇上的謬誤。然而，這種對於運動者主體之蒼白的批判，或許對於全共鬥運動適用，但在以「尋找自我」及「主體解放」驅動、延伸出來的女性解放運動上，是否一樣適用呢？或說，同樣的批判與發問，對於兩者來說，是否具有相同的性質？

女性解放運動中訴求主體的行為，恐怕與本書包含全共鬥運動在內的其他對象並非同質。女性解放面對的「不幸」，或可說並非作者所指的「現代（才出現）的不幸」，而是「（自過去延續至今，終於在）現代（受到關注，並出現變革可能）的不幸」。女性解放運動持續至今，尤其在近年metoo運動烽火遍野之際，其中一個核心的困境是，相對於「男性邏輯」的「女性邏輯」和「女性話語」，依然被視作無法作為主要枝幹的附屬填充物，缺乏「理性」、過多感性以致「歇斯底里」、條理不清、（在男性邏輯視角下）論點前後矛盾……。小熊在本書第十七章中，對於女性解放運動，特別是其重要運動者田中美津的論述，似乎也還是在次元上與女性解放運動的論述核心視角有著一定的錯位[23]。另外，田中美津本人也在本書出版後，直接在amazon商品評論欄上留下了認為小熊蓄意誤讀其說法，甚至書中多處的記述讓她感受到厭女情結的一星評價。這裡似乎呈現出雙方在論述次元上的乖離。如前述，本書關於全共鬥運動的書寫、對於運動當事者之蒼白的批判，引發了不少運動當事者的反彈。在女性解放運動的當事人身上，這種被書寫、被批判的當事者的不滿固然也存在，然而，相較於全共鬥運動的參與者，從女性解放運動參與者身上反彈回來的，或許不僅只是「被批判」、「被簡寫」的不滿，而是總是「被誤讀」、依然「被視為缺乏邏輯」的持續性困頓。意即，女性解放運動參與者的主體，本身就是其議題層面上的被壓迫者。若要依循作者的分析路徑，那麼如何在試圖指出運動者主體之蒼白時，不至於淪為等同於指出被壓迫者之蒼白？就這一點而言，或許還有不少商榷的餘地。

接著，從「革命解決一切」、「工人本隊論」等大寫的總體性論述轉往著重「少數群體」的小寫「我」的「七〇年典範轉移」，小熊認為這種作為「尋找自我」結果的運動典範，在本書出版的現今（二〇〇九年）已然失效，無法引發多數群體的共鳴。這是否意味著小熊主張重回大寫的總體性論述？意即，回到應對「近代的不幸」，一如本書結論提及的赤木智弘等人所強調的，不被左派重視的「貧困勞動層」、被左派拋棄的不安定雇用的日本多數群體的問題上？

「七〇年典範轉移」的基礎，建立在對於經濟成長的果實僅由多數群體的日本人享用，少數群體並未受惠，反而遭受多數群體壓迫的社會背景上。然而，在貧富差距擴大、不穩定就業情況的普遍化之下，多數群體中的貧困者，反過來高呼他們並未得到應有的重視，少數群體享有他們沒有的特殊待遇與「特權」。在台灣，類似的情況也不罕見。例如，本土勞工反對引入外籍勞工，認為外籍勞工奪走本勞工作機會、壓低本勞薪資，主張本外勞基本薪資應該脫勾；亦或者是，享有最多教育資源的台大學生，以「火冒4.05丈」諷刺原住民加分制度，認為該制度在升學競爭與獲得受教育機會層面上，造成對於非原住民學生的「不公平」等等。確實，如同小熊對於日本「七〇年典範轉移」有效性的反思，一味聚焦於少數群體受壓迫狀態的主張，存在著簡化多數群體內部所蘊含的複雜性，並在左派的政治正確主張中無視其困境的盲點。然而，這個困境的出口絕非是短路式的回到以多數群體優先、排除少數他者的排他性保守右翼立場上。正如小熊所言，在舊有的言說已然失去說服力的此時，我們需要產生「另一種不同的對抗性論述」[24]。

從本書可以找到的參照線索

以上的提問並非是對本書的批判，而是列舉了幾個透過本書可以找出來的問題線索。這些，都是若無本書艱辛的勞作積累就無法進一步形成的提問。如同本書日文原版出版時得到的許多讚嘆好評所言，本書不論為當事者的「自我陶醉」、「神話」與「英雄事蹟」，而是藉由壓倒性的文獻資料整理與簡潔明瞭的解釋，為非處於該時空的讀者開拓出了一條得以有效進入的途徑，這無疑確立了本書在「一九六八」研究領域裡的代表性意義。

而在對於戰後日本社會的研究仍有待發展的華文圈中，特別是在因為混雜了與日本之間的殖民歷史情結、戰後遷台國民政府與人們對於日本的軍事敵對立場，以及冷戰以降由於反共意識形態而縮限了對於日本發生的反叛運動與思想之理解的台灣，本書的出版無疑對於重新理解日本戰後來說，具有甚至超越本書篇幅的厚重意義。本書提出了從「一九六八」到「二〇〇九」日本「現代的不幸」的連續性。那麼，在「二〇二四」年的台灣，藉由本書華文版的出版能帶給我們的，可以說是從「一九六八」的日本到「一九六八」的台灣以及「二〇二四」台灣的越境性，從而使戰後東亞歷史的構圖得以更為立體。

不只是作者對於「那個時代」的分析觀點，本書亦在作為資料庫的層面上具有深切的價值。藉由本書的引介，讀者們或將可以覓得來自「那個時代」日本的諸多參照點。例如從黨派的失敗經驗借鏡，思考如何不收斂成為具有教條式排他性的、封閉的集團或共同體；如「七・七告發」所示，在舉著「大義名分」大旗的運動底下，少數群體的問題往往容易遭到暴力性的刻意無視。對於「進步」大義下運動者加害性的反省，或可成為應該正視運動有時也存在著複製既有權力謬誤的盲點、「為了大義扼殺『私我』」的運動者或將成為另一種暴力構造的危險性的提醒；同時作為「受害者與加害者」的雙重性，或將可能成為對於過於簡化的自我認同，與其所置身的權力關係的再檢視……等等。這些參照點，在譯本出版的土地上，可以說與本書的觀點同等重要。作為譯者，期待本書的譯本不只成為引發關於「那個時代」的相關討論的開端，同時也得以成為，開啟戰後日本社會、思想與文化研究並使其成為新的參照點的開端。

最後，我想以在翻譯本書的過程中最令我感動的一段話作結，這段話真摯地傳達了作者對於「那個時代」的深切情感。

然而，他們嘗試過了。不管多麼稚拙，至少他們試著掙扎過了。那些沒有準備好想出更明智的方法的人，沒有嘲笑他們的資格。相反地，我們應該從他們的失敗中學習。首先應該學到的是，在還未充分了解過去的思想與經驗之前就急著埋葬它，是徒勞無益的。[25]

註釋

導讀《1968》

1 本書第一冊，頁一八；本書第三冊，頁三二八—三二九。

2 例如：安井伸介，二〇一九，〈日本新左派思潮與東亞反日武裝戰線〉，《政治與社會哲學評論》，第七十一號，頁一〇三—一〇五；羅皓名，二〇二四，〈關於桐島聰、東亞反日武裝戰線與「1968」的末路〉，焦點事件，三月九日。https://www.eventsinfocus.org/news/7147593?fbclid=IwZXh0bgNhZW0CMTAAAR2_vbu9rtCK86Yv-aS0WQF5QItEi2gqUWobY2sMvP4Y-_oisdG9Xnq0foI_aem_AY2tvh9VOzOu7DkLQ77zDljyyRd1_51yXCd--eVbqKs4aXITpRCVQJKk2MSoJ9etls9BJAYYqt2s_lCATcVmRc3d

3 小熊英二著，文婧譯，《單一民族神話的起源：日本人自畫像的系譜》，北京：三聯書店。

4 本書第一冊，頁二一。

5 本書第一冊，頁二六。

6 在翻譯出版中譯本的過程中，我們發現作者在「再刷」時已做了一些錯誤的修正。例如，本人手上的《1968》「初版第二刷」中寫到：「七四年に三菱重工（日本最大の軍需産業として知られていた）本社ビルを爆破した東アジア反日武装戦線の加藤三郎は（一九七四年引爆三菱重工（作為日本最大的軍需產業企業而為人所知）本社大樓的東亞反日武裝戰線的加藤三郎）」，但事實上，加藤並非東亞反日武裝戰線的成員。因此，此次翻譯的「初版第六刷」改寫為：「七四年に三菱重工（日本最大の軍需産業として知られていた）本社ビルを爆破した東アジア反日武装戦線に影響されて爆弾事件をおこした加藤三郎は（受到一九七四年引爆三菱重工（作為日本最大的軍需產業企業而為人所知）本社大樓的東亞反日武裝戰線的影響而展開炸彈行動的加藤三郎）」（日文版下冊第八〇四頁）。但作者在書中並沒有說明還修改了哪些地方，我們無從對照。

7 小熊英二著，陳威志譯，二〇一五，《如何改變社會》，臺北：時報文化，頁三七七。

8 可參考本書「結論」的論述。

9 本書第一冊，頁一七。

10 請參照amazon.co.jp網頁中《1968〈下〉》的「客戶評論」。

11 經田中的批判，如註六所述，作者已修改了一些錯誤之處。例如，第二刷中寫到：「田中は、高校時代に二回家出をし（田中在高中時離家出走兩次）」（第七一八頁）。田中在amazon的評論中說：「高校時代に家出を『2回した？』（高中時離家出走「兩次」？）」。第六刷就改寫為：「高校時代に家出をしたうえ（田中在高中時離家出走）」（第七一八頁）。

12 後來收入於：田中美津，二〇一九，《明日は生きていないかもしれない……という自由》，東京：インパクト出版會。

13 本書第四冊，頁二四九。

14 本書第四冊，頁四七四—四七五，註一二〇。

15 本書第四冊，頁二五五。
16 本書第四冊，頁二五六。
17 本書第四冊，頁二五八。
18 本書第四冊，頁二六一—二六二。
19 請參照amazon上的評論。
20 田中美津，二〇一九，《明日は生きていないかもしれない……という自由》，東京：インパクト出版會，頁二〇三。
21 田中美津，二〇一九，《明日は生きていないかもしれない……という自由》，東京：インパクト出版會，頁二二九。
22 小熊英二著，陳威志譯，二〇一五，《如何改變社會》，臺北：時報文化，頁三八二。

《1968》：如何述說一無所有的語言？

1 此為一九六八年巴黎五月學運之際，寫在巴黎桑西耶地區牆上的文字，該區有索邦大學校區。此文署名為「激進派」，原文是Enragés，意指法國大革命期間的激進派，否定私有制度，主張直接民主制與女性參政權，由於行動過於激烈，其後遭到革命政府的鎮壓。此處署名表示書寫者承繼「激進派」直接行動之精神。

2 日本全共鬥學運後期，運動失去大眾支持，亦受到政府強力鎮壓，少數人轉為恐怖武裝行動，試圖打擊體制。而此書便是教導學運分子如何製造炸彈的冊子，以「栽種球根」作為「製造炸彈」的隱語，以逃避警方查緝。該冊子不僅教導如何製造的炸彈，亦簡要地敘述運動目標、組織方式與戰術細節。

進入「1968」的絕佳路徑

1 本書第一冊，頁二八。
2 本書第一冊，頁二四。
3 本書第一冊，頁二五。
4 本書第一冊，頁二五。
5 本書第一冊，頁九〇、九五、一〇〇。
6 本書第四冊，頁四三五。
7 本書第四冊，頁四三四。
8 長崎浩，〈歴史の平均値——小熊英二『1968』を読む〉（初出：《情況》二〇〇九年十二月号）收錄於《叛乱の六〇年代——安保闘争と全共闘運動》（論創社、二〇一〇年），頁一九四。
9 日文原版的出版社——新曜社的網站上有整理多篇關於本書的書評：https://www.shin-yo-sha.co.jp/book/b455836.html。而本書受到的批判，有許多來自當時參與運動的當事者，例如第十七章主要的分析對象田中美津，於二〇〇九年十二月二十五日在《週刊金曜日》上登載了對於本書的駁斥〈小熊英二『1968』を嗤う〉。其他當時的運動當事者的評論，包含如長崎浩的〈歴史の平均値——小熊英二『1968』を読む〉等。另外，也有數篇來自學術圈的不同意見。如新倉貴仁的〈何もない私たち——小熊英二『1968』をめぐって〉（《書評ソシオロゴス》NO.6，二〇一〇），以及五十嵐惠邦的〈「あの時代」の叛乱は我々に何を教えるのか——小熊英二著『1968』上・下を読む〉（《文化／批評》，二〇一〇）等。
10 本書第四冊，頁四三四。
11 本書第一冊，頁二〇。

12 同前長崎浩，頁一九四。

13 或許執著於將書寫範圍限定在「一九六八」，而非再進一步向前及向後延伸，是造成本書無法看到文化與思想層面可能性的原因。但從本書已經相當驚人的篇幅可見，這種書寫範圍的限定，恐怕以本書的方法論來說是個不得不做出的決斷。

14 關於丸山真男思想的中文資料，可參見由藍弘岳翻譯的其經典著作《日本的思想》（遠足文化，二〇一九）。

15 關於谷川雁思想的概述，可參見筆者拙作〈邁向反知識的原詩：詩人工作者谷川雁的聲響認識論〉（《文化研究》二十八期，二〇一九年十二月）。

16 小熊於《「民主」與「愛國」》描寫一九六〇年代與全共鬥運動的第十三章末，有簡單提及此組織，並將之作為強調日本人加害性的極限案例，然而並未進一步開展論述。

17 由於篇幅有限，在此僅藉由引用關鍵刊物的內容來呈現其核心主張。關於東亞反日武裝戰線更進一步的介紹，可參見筆者（二〇二四）刊於焦點事件上的〈關於桐島聰、東亞反日武裝戰線與「1968」的末路〉（http://www.eventsinfocus.org/news/7147593），以及安井伸介〈日本新左派思潮與東亞反日武裝戰線〉（《政治與社會哲學評論》第七十一號，二〇一九），頁一〇三—一〇五。關於日文資料，可參考非虛構作家松下竜一的《狼煙を見よ》（初出：《文藝》一九八六年冬號）（河出書房新社，二〇一七）。

18 東アジア反日武装戦線「狼」《腹腹時計—士兵讀本 vol.1》一九七四年三月一日，頁二—四。

19 關於日雇勞動者運動與相關思想，請參見船本洲治等當時運動者所留下的著作，如船本洲治《〔新版〕黙って野たれ死ぬな》（共和国，二〇一八）等。另關於從日雇勞動者運動、部落解放運動、阿伊奴問題再到東亞反日武裝戰線的思想性連結，可參考友常勉《夢と爆弾——サバルタンの表現と闘争》（航思社，二〇一九）

20 關於東亞反日武裝戰線的介紹，可參見筆者（二〇二四）刊於焦點事件上的〈關於桐島聰、東亞反日武裝戰線與「1968」的末路〉（http://www.eventsinfocus.org/news/7147593），以及安井伸介〈日本新左派思潮與東亞反日武裝戰線〉（《政治與社會哲學評論》第七十一號，二〇一九），頁一〇三—一〇五。

21 這本僅有一百出頭頁的小書最後還附上了相關主題的建議書單，以及當時代關鍵人物的簡介，十分適合入門。

22 另外，關於全共鬥的比較文學研究，可參見張政傑〈東亞「風雷」如何殘響？臺灣「保釣文學」與日本「全共鬥文學」的比較研究〉（《中外文學》四十八卷二期，二〇一九年六月）。

23 這無關對錯，而是兩者並不在同一層面上切入問題，從而招致無法對話的狀態。然而，在此我必須指出我對於作者於序章所說的「女性解放運動的歷史原本就應當由當事者的女性研究者來書寫」（本書第一冊，頁二三）感到強烈的違和感。

24 本書第四冊，頁四一一。

25 本書第四冊，頁四三〇。